D1412022

Pour Alexandros, Sébastien, Matthaios,
dans la lumière du monde.

Athènes, Mai 2005.

ISBN: 978-2-211-08461-1

Loi numéro 49 956 du 16 juillet 1949 sur les publications
destinées à la jeunesse: septembre 2005
Dépôt légal: avril 2007
Imprimé en France par Aubin Imprimeur à Poitiers

Magali Bonniol

Soleil Tombé

l'école des loisirs
11, rue de Sèvres, Paris 6e

Aujourd’hui, au marché, un petit ours en peluche
est posé près d’une cafetière. Il attend.
Il ne sait même pas quoi. Un regard peut-être,
ou que quelque chose arrive.

Mais voilà qu'il pleut, et qu'on l'oublie.

« Bonjour », dit le chien. « Qui es-tu ? Si jaune ? »
« Je ne sais pas », répond l'ours en peluche. « Je ne ressemble à personne. »
Le chien réfléchit : « Tu dois être un petit de la cane. Ils sont tout jaunes aussi. »

«Non, non», dit la cane, «celui-là n'est pas à moi.»

La chèvre donne son avis :
« Jaune comme ça, moi je vous le dis :
c'est un pissenlit ! »

Mais c’est difficile de faire le pissenlit !

«Vous n'y êtes pas du tout !»
pépient les oiseaux. «C'est juste un morceau
de soleil qui s'est décroché !
Il lui faudrait des ailes pour retourner là-haut !»

Et chaque oiseau
offre une plume pour le petit ours.

Mais il faut battre
des ailes maintenant.

«Je vole, je vole ! » s'écrie le petit ours. « Merci les amis.
Je rentre chez moi ! »

Il vole longtemps, de plus en plus haut.
Doucement, le soleil descend vers lui.
« J'arrive, j'arrive ! » Et il bat des ailes plus vite encore.

Alors, le soleil devient rouge, rouge comme une cerise.
Bientôt, il disparaît dans la mer.
« Les oiseaux se sont trompés », songe tristement le petit ours.

Il se pose sur un morceau de glace.
Tout autour de lui la nuit s'étend,
la grande nuit polaire,
qui dure plusieurs mois.
Parfois il croise des familles, qui sont
trop occupées pour lui parler.
« Mais qui suis-je donc ? Personne
n'est jaune comme moi. »

Tout à coup, une chanson s'élève.
C'est un papa esquimau qui rentre chez lui en kayak.
« Aï ! C'est moi, Atoungak, qui reviens de la chasse.
À ma femme j'offrirai
une peau de caribou
pour qu'elle n'ait pas froid,
et à Irnira, mon garçon,
un petit harpon en os
pour qu'il apprenne à chasser.
Mais pour ma toute petite fille Koumak,
je n'ai pas trouvé de cadeau… »

C’est alors qu’il l’aperçoit, tout jaune dans la nuit.
«Aï ! C’est comme si le soleil s’était posé sur la glace !
Je crois que j’ai trouvé mon cadeau…»

Et depuis, Soleil Tombé éclaire la grande nuit
pour la petite Koumak.